D1297761

© 2000 Éditions MILAN – 300, rue Léon-Joulin, 31101 Toulouse Cedex 1 France
Droits de traduction et de reproduction réservés pour tous les pays.
Toute reproduction, même partielle, de cet ouvrage est interdite.
Une copie ou reproduction par quelque procédé que ce soit, photographie, microfilm,
bande magnétique, disque ou autre, constitue une contrefaçon passible des peines prévues
par la loi du 11 mars 1957 sur la protection des droits d'auteur.
Loi 49.956 du 16.07.1949
Dépôt légal : 3e trimestre 2000
ISBN : 2.7459.0102.8
Imprimé en Espagne

Gérard de La Taille

Mes premiers pas
au
JUDO

MILAN

1

Tes débuts

Tu vas découvrir le JUDO
avec sa rigueur d'apprentissage
mais aussi sa convivialité
pour y trouver ton épanouissement.

Le dojo

Tu vas devoir te familiariser avec ce lieu et ses rites. Ils sont les mêmes pour tous, du débutant au judoka confirmé, de la ceinture blanche à la ceinture noire.

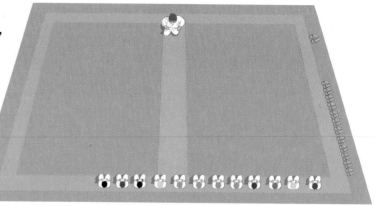

Maître J. Kano

Fondateur du judo, il est présent pour rappeler à tous dans quel esprit tu dois aborder ton sport : un maximum d'efficacité avec un minimum d'effort, entraide et prospérité mutuelle.

Le tatami

Il est composé de plaques en mousse bâchée, qu'on assemble pour constituer la surface de pratique.
Tu y apprendras à faire tomber ton partenaire et aussi à chuter.

Le rituel du salut

Tu vas progressivement en comprendre le sens. Le judo, ce n'est pas la bagarre ; il est empreint de respect mutuel pour progresser ensemble.

La tenue

Dès la première séance, tu enfileras ton judogi. C'est un vêtement très résistant qui permet aux partenaires de s'attraper mutuellement.

Elle se compose d'un pantalon et d'une veste que tu croises et d'une ceinture que tu noues autour de la taille.

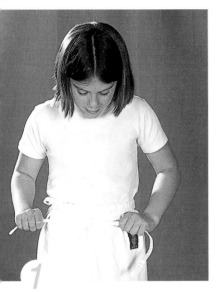

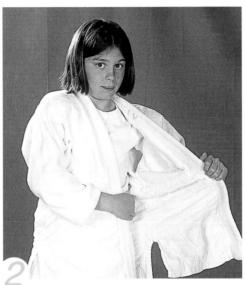

Tu seras pieds nus sur le tatami mais tu chausseras des zoori pour circuler dans le dojo. Surtout pense à ton hygiène corporelle : un corps et des vêtements propres. Les ongles sont coupés court.

La séance au dojo

Ta première séance au dojo te donnera un avant-goût de ce que
tu découvriras au cours des nombreuses années de pratique. En effet,
le temps est nécessaire pour progresser et apprécier ce sport.

L'échauffement

Il permet de bien préparer le corps à exécuter
des techniques parfois complexes ; cela aide
aussi à fortifier ta résistance physique et
à ne pas te blesser.

L'apprentissage technique

Tu aborderas cette étude de diverses manières :
statique, en déplacement, ou bien ton prof
te soumettra des situations de recherche qui
mettront ta réflexion à l'épreuve pour trouver
des enchaînements.

Le randori

C'est la mise en situation − le combat
d'entraînement − au sol ou debout.
Il te permet de tester tes connaissances
en judo bien sûr mais surtout de t'amuser.

Les chutes

Dès le début, tu vas apprendre à chuter : chute arrière, chutes avant et latérale. Ainsi tu n'auras plus d'appréhension.

Chute latérale.

Chute avant.

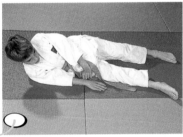

Les assouplissements

En fin de séance, tu ne négligeras pas les assouplissements qui te permettront d'entretenir la souplesse mais aussi faciliteront le retour au calme.

Le pratiquant

Le judo va t'apporter beaucoup sur le plan personnel, il t'aidera à mieux te connaître et à développer des qualités tant physiques que morales.

Sport d'endurance

● L'aspect physique

Tu vas devoir développer tes capacités de persévérance ; dans ta pratique au quotidien, pour t'amuser, tu devras te muscler l'ensemble du corps par des exercices spécifiques, travailler ton souffle en faisant du jogging par exemple.

● L'école d'humilité

En judo, tu ne gagneras pas toujours. Tu ne dois pas considérer les défaites comme des échecs mais au contraire comme un enrichissement. Perdre nous fait tout autant progresser.

Découverte de l'amitié

Grâce au judo, tu feras beaucoup de rencontres – au dojo, lors de stages ou de déplacements. Tu lieras souvent de nouvelles amitiés que tu conserveras longtemps.

L'animation sportive

Très tôt, tu vas pouvoir te confronter à d'autres dans les animations qui sont organisées. Les règles du jeu varient bien sûr selon les catégories d'âge.
Tu y mets en pratique ce que tu apprends au dojo.

minime

benjamin

poussin

mini-poussin

Les catégories

Elles sont déterminées en fonction de l'âge.
Mini-poussins : 7/8 ans.
Poussins : 9/10 ans.
Benjamins : 11/12 ans.
Minimes : 13/14 ans.

Le poids

La pesée sera la première étape dans la rencontre. Les participants sont regroupés par similitude de poids (par tranches de 4 à 5 kg) afin d'établir une égalité des chances.

Le passeport

Il s'agit d'un petit livret dans lequel seront consignés tous les événements de ta vie sportive. Tu le présentes au contrôle dans la salle de pesée. Pour pouvoir participer, tu devras être détenteur de la licence d'affiliation à la FFJDA et d'un certificat médical d'aptitude au judo.

Sur le tatami

Le tatami est divisé en deux zones : la surface de combat comprend une bordure de couleur rouge qu'on ne peut franchir. Tu auras le droit d'évoluer dans ce carré de 10 m de côté.

Les compétiteurs revêtent une ceinture de couleur pour les différencier : l'un une ceinture rouge, l'autre une ceinture blanche. Leurs places respectives sont indiquées au centre du tapis.

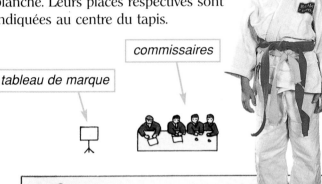

commissaires

tableau de marque

combattant blanc

zone de danger

combattant rouge

zone de sécurité

zone de compétition

arbitre central

juge de coin

La place des arbitres

L'arbitre central se place entre les compétiteurs et dirige le combat. Les deux autres arbitres s'installent sur une chaise aux angles.

Le tableau de marque

Les commissaires sportifs s'occupent de noter les résultats et de minuter le temps du combat. Ils sont installés face à l'arbitre central.

2

La technique

C'est un long apprentissage !
La découverte est à chaque entraînement :
technique de base, enchaînements, combinaisons,
esquives, contres, feintes... On ne peut tout connaître
mais il faut beaucoup s'entraîner pour progresser.

Les techniques de base

Chaque technique aura sa spécificité, mais on peut les classer par groupes dont voici des exemples.

Debout

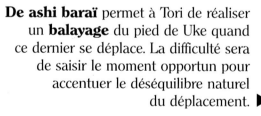

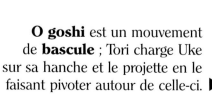

> **Tori** : celui qui travaille.
> **Uke** : celui qui subit.

◀ **Taï otoshi** appartient à la famille des **barrages**. La chute intervient lorsque Tori (celui qui exécute la technique) vient placer une partie de son corps en barrage (la jambe ici) de sorte à priver Uke (celui qui subit) de toute possibilité de rééquilibrage.

Koshi guruma 1re forme. Ici il s'agit d'un **enroulement** ; Uke après avoir été amené en déséquilibre se voit entièrement enroulé autour d'une partie du corps de Tori (la hanche ici) qui le projettera en poursuivant sa rotation. ▶

◀ **O soto gari**, c'est un **fauchage**. La jambe de Tori va en passant d'avant en arrière faucher la jambe d'appui de Uke.

De ashi baraï permet à Tori de réaliser un **balayage** du pied de Uke quand ce dernier se déplace. La difficulté sera de saisir le moment opportun pour accentuer le déséquilibre naturel du déplacement. ▶

◀ **Ko soto gake** : cette technique d'**accrochage** met davantage en action le jeu des contacts ; Tori crochète la jambe de Uke et l'entraîne sur l'arrière en poussant.

O goshi est un mouvement de **bascule** ; Tori charge Uke sur sa hanche et le projette en le faisant pivoter autour de celle-ci. ▶

16

Au sol

Une fois le partenaire projeté, les deux judokas se retrouvent au sol pour poursuivre leur évolution. Là aussi plusieurs formes de contrôle vont pouvoir s'appliquer pour obtenir l'avantage.

● Les immobilisations

Osae komi : il s'agit de techniques permettant de maintenir l'autre à plat dos. Voici 3 exemples :

*Regarde **kuzure gesa gatame**. Le contrôle est réalisé lorsque Tori, bien en appui sur le côté de Uke, maintient celui-ci en enserrant son bras et en se plaquant sur son buste.*

*Voici **kami shio gatame** : Tori saisit la ceinture de Uke en passant sous les épaules de ce dernier et maintient le contact avec son torse.*

*Dans **yoko shio gatame**, la saisie s'effectue au niveau du col et de la jambe de Uke, Tori le contrôle sur le côté.*

● Les retournements ▶

Uke ne chute pas toujours en position idéale, parfois il faudra le retourner pour le positionner à plat dos.

Ici Uke est à quatre pattes, Tori vient se placer sur le côté pour, après l'avoir fixé, lui retirer ses points d'appui, bras et jambes. Uke roulera sur le flanc et Tori enchaînera une immobilisation.

1 ▲

2

3

Tori va ici fixer Uke en attrapant sa ceinture puis il décide de se déplacer latéralement, d'abord en montant sa main vers le col du partenaire puis en glissant sous la jambe de ce dernier ; enfin il dégagera sa tête pour achever le contrôle.

● Les entrées au sol

Le but est toujours identique : il s'agira pour Tori de trouver un passage dans la défense de Uke.

Les barrages

Reprenons **taï otoshi**, et étudions comment Tori va créer l'opportunité pour réaliser sa technique.

1 Tout d'abord, il va réaliser ko uchi gari.

C'est un fauchage sur l'arrière si Uke ne réagit pas.

2 Uke va alors esquiver en déplaçant son pied droit puis son pied gauche.

3 Profitant de l'esquive de Uke, Tori va venir se placer pour effectuer taï otoshi : sa jambe est en barrage devant celle de Uke qui, déséquilibré sur l'avant, ne peut plus avancer pour se rétablir.

4 Il chute alors que Tori garde le contrôle pour pouvoir enchaîner au sol.

Voici un autre barrage : **eri otoshi**.

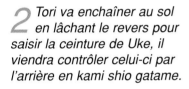

1 Tori saisit le revers opposé de la veste de Uke afin d'accentuer le déséquilibre sur la jambe avant droite de Uke, devant laquelle il placera le barrage de sa propre jambe.

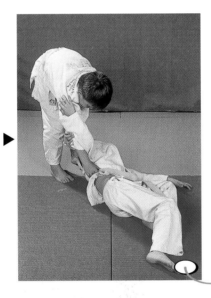 

2 Tori va enchaîner au sol en lâchant le revers pour saisir la ceinture de Uke, il viendra contrôler celui-ci par l'arrière en kami shio gatame.

3 Toutefois, rien n'est encore joué, car Uke, reprenant l'initiative, effectue un renversement latéral. À son tour, il a saisi la ceinture et pousse de tout son corps, jambe bien en appui. Il reprend l'avantage en contrôlant son adversaire.

D'autres possibilités d'enchaînements seront possibles et vont dépendre de la position d'arrivée au sol après la chute. Un contrôle maladroit lors de l'exécution du mouvement peut permettre à Uke de se réceptionner à plat ventre.

*1 Si **ippon otoshi** est correctement exécuté, Tori déséquilibre son partenaire sur l'avant, établit le contact au niveau du bras et met sa jambe en barrage.*

2 Par manque de contact, il se peut que l'arrivée au sol soit mal contrôlée. Uke tourne à plat ventre.

3 Tori laissera Uke poursuivre sa rotation sans néanmoins lâcher la manche, il accentuera même ce déplacement en passant sous le bras de Uke.

4 Une fois à plat dos, Tori se retrouve en kuzure gesa gatame.

Nous allons voir ici comment s'adapter dans le cas où, après la chute, Uke parvient à se mettre à quatre pattes.

1 *Tori fait chuter sur **morotoe otoshi**, un barrage ; il amène son partenaire en contact contre son propre dos en plaçant son coude droit sous l'aisselle opposée de Uke. Le déséquilibre est sur l'avant, et la jambe droite de Tori forme le barrage.*

2 *On voit ici qu'à la réception, Uke se met rapidement à quatre pattes. Tori, lui, réagira en saisissant le revers gauche de Uke et en engageant sa tête sur le côté droit.*

3 *Pour le retourner, Tori se laissera rouler sous Uke, l'entraînant avec lui. En glissant son bras gauche, il fixera en kuzure yoko shio gatame quand Uke sera sur le dos.*

4 *Cette immobilisation est une variante : c'est un contrôle sur le côté. On voit qu'un bras de Tori est sous Uke, l'autre passe sur une épaule et soutient la tête de Uke. Les deux mains se rejoignent au niveau de l'autre épaule.* ▶

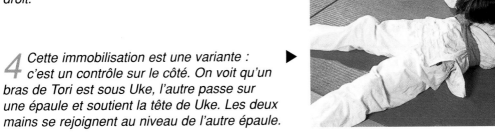

Les enroulements

Passons aux enroulements. Tori va devoir déplacer Uke pour l'amener à s'enrouler autour d'une partie de son propre corps.

▲

*1 Observons cette combinaison sur **koshi guruma 1re forme**.*
Dans la position de départ, les deux judokas ont avancé leur pied droit.

▲

2 Uke recule, Tori avance mais en décalant son pied pour préparer son placement.

▲

3 Ensuite, il va établir le contact en remontant sa main le long du col et en glissant son pied droit devant ceux de Uke, lui tournant ainsi le dos.

▲

4 Il va fléchir ses jambes abaissant son centre de gravité. Uke sera alors enroulé sur la hanche de Tori qui le projettera en accentuant la rotation.

La roue autour des hanches peut s'effectuer d'une autre façon : **koshi guruma, 2ᵉ forme**.

1 L'enroulement est le même ; simplement, il écartera ses jambes pour descendre davantage son centre de gravité.

2 La chute interviendra de la même façon que dans la 1ʳᵉ forme par enroulement.

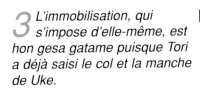

3 L'immobilisation, qui s'impose d'elle-même, est hon gesa gatame puisque Tori a déjà saisi le col et la manche de Uke.

4 Voyons comment Uke peut se dégager ! Tout d'abord, il va décaler ses jambes et son corps afin de parvenir à l'alignement avec le corps de Tori. Un espace libre est ainsi créé dans le dos de Tori. Il lui suffira de redresser son buste pour faire basculer Tori dans l'espace libre. C'est maintenant l'autre qui est pris en kuzure gesa gatame.

Sur cette projection, l'enchaînement n'est pas direct. Uke arrive à quatre pattes et Tori va devoir le retourner.

*1 Dans **ashi guruma**, la rotation se fait autour de la jambe. Le contact est sur le haut du corps, et le déséquilibre sur l'avant.*

2 Uke se met à quatre pattes après la chute ; Tori va, dans un premier temps, le fixer en saisissant la ceinture puis il passera sous le bras de Uke et agrippera son propre poignet. Pour l'instant, il est face à Uke. Il a levé le bras de ce dernier en créant un espace sous Uke. Il va y engager son genou, se déplacer latéralement et terminer en poussant.

3 Uke est sur le dos. Tori n'a rien lâché de ses saisies, il va simplement se stabiliser en écartant ses jambes et en contrôlant le buste de Uke en kuzure yoko shio gatame.

Cherchons une situation où Uke peut se défendre en se mettant à plat ventre.

1 Tori va tenter **hiza guruma**, roue autour du genou. Il va donc placer son pied à plat sur le genou de son partenaire ; ainsi fixé, ce dernier servira de pivot lorsque Tori accentuera le déséquilibre avant et le mouvement circulaire de ses bras.

2 Uke se met à plat ventre et Tori garde la saisie de la manche. Il va fixer le bras au sol. Avec l'autre main, il saisit le pantalon et lève la jambe. Uke va tourner autour du point fixé au sol.

3 Une fois le retournement achevé, Tori contrôle en kuzure yoko shio gatame, maintenant les deux bras de Uke de son buste et plaquant la jambe au sol.

Les fauchages

Dans les fauchages, on supprime un appui au partenaire ; il faut au préalable l'avoir fixé sur cet appui. Le plus simple pour parvenir à cette étape est d'utiliser un jeu de déplacement.

▲

*1 Pour étudier **o soto gari**, les judokas vont partir pied avancé.*

Quand Uke avance son pied droit, Tori décale son pied gauche sur sa gauche. Dans le même temps, il établit le contact en ramenant Uke contre lui. Le déséquilibre sur le pied droit de Uke découle de ces différentes actions.

▲

2 Tori n'a plus qu'à lancer sa jambe droite pour venir faucher la jambe d'appui de Uke, en se penchant sur l'avant afin d'accentuer le déséquilibre.

Voici, à partir d'une chute
sur un fauchage, une liaison
debout/sol et un enchaînement
au sol après retournement.

*1 Tori effectue **ko soto gari** :* ▶
*après s'être décalé lors
du déplacement vers l'avant
de son partenaire, il fixe et
fauche sur l'arrière de Uke.*

*2 Arrivé au sol, Tori enchaîne
avec kuzure kami shio
gatame, en glissant sa main
sous l'épaule pour aller
agripper la ceinture.*

▼

3 Afin de préparer son ▶
*retournement, Uke
enserre le coude de Tori.*

*4 Puis il va prendre appui
avec son pied et pousser
pour faire basculer l'adversaire
et le contrôler à son tour
en ushiro gesa gatame.*

▼

Nous allons maintenant étudier une entrée au sol. Dans ce cas de figure, Uke reste sur le dos après sa chute mais il tient Tori à distance, l'empêchant de se placer pour réaliser une osae komi.

*1 Tori place un **o uchi gari** : le déséquilibre est sur l'arrière et Tori effectue son fauchage par l'intérieur entre les jambes de Uke.*

▼

2 Tori, entraîné par le fauchage, arrive au sol sur le côté de Uke. Il contrôle la jambe de Uke par sa propre jambe qu'il va dégager rapidement en se remettant à plat ventre, pour se positionner en technique de contrôle, ici kuzure yoko shio gatame.

▼

Dans la même position d'arrivée au sol, voici une autre entrée.

1 Tori réalise un **ko uchi gari**, fauchage sur l'arrière avec le plat du pied. Uke chute mais garde Tori entre ses jambes, genoux relevés.

▼

2 Tori pose alors son genou par-dessus la cuisse de Uke la plaquant au sol : il peut ainsi s'engager sur le côté et conclure.

▼

Ici en yoko shio gatame.

Ou bien encore par une variante de cette immobilisation : en kuzure yoko shio gatame.

Les balayages

Le judo se pratique en déplacement. Il faut savoir les susciter ou saisir l'opportunité pour apporter la réponse technique adéquate. Les déplacements sur le tatami interviennent dans toutes les directions : avant, arrière, mais aussi latéralement. Les mouvements de balayages, quant à eux, ne peuvent être efficaces que s'ils sont pris « dans le temps » du déplacement.

*1 On apprend **de ashi baraï** sur un déplacement en avant de Uke. Départ pied droit avancé.*

▼

2 Pour laisser passer Uke, Tori recule tout en se décalant.

▼

3 Et lorsque Uke engage à nouveau son pied droit, Tori est bien placé pour faire glisser ce pied, privant Uke d'appui dans la marche.

▼

▲

4 Ici Tori peut enchaîner par yoko shio gatame.

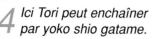

▲
1 Dans **haraï goshi**, *balayage par la hanche, Uke avance et Tori recule plus rapidement afin de pouvoir pivoter, lui tourner le dos et, au moment où Uke ramène sa jambe droite, la faucher « dans le temps ».*

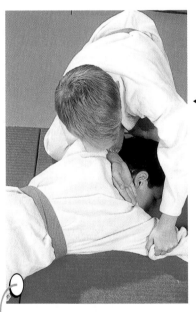

◀ *2* Uke se met à plat ventre. Que faire ?

Il n'a pas lâché le col de Tori, ce dernier en profite pour glisser le dos de sa main derrière la nuque de Uke et récupérer le bras opposé. Cette saisie lui permettra de retourner Uke et de le prendre en kuzure yoko shio gatame.

Les accrochages

Et maintenant voici un type de technique qui nécessite davantage de force physique. Il s'agit des accrochages où Tori crochète Uke sur ses appuis et l'entraîne avec lui dans la chute.

*1 Pour apprendre **ko soto gake**, on peut partir d'une position face à face normale.* ▶

▲
2 Pour exécuter cette technique, Tori se décale en avançant sur Uke et accroche sa jambe à celle de Uke. Il plaque Uke contre lui et l'entraîne en arrière.

3 Après la projection, Tori s'installe à cheval par-dessus Uke et l'immobilise en tate shio gatame.

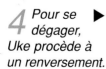

4 Pour se dégager, Uke procède à un renversement. ▶

On retrouve une position entre les jambes. Il faudra encore tenter une entrée au sol pour arriver à une immobilisation.

Les bascules

Pour compléter cet aperçu des techniques de base, il ne manque plus qu'un exemple de bascule. Dans ce type de technique, Uke pivote autour d'un axe, tel un balancier.

1 *Pour l'étudier de façon simple, Uke va tenter de porter koshi guruma 1ʳᵉ forme.* ▶

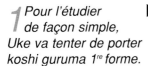

▲

2 *Tori, qui avait gardé ses distances par anticipation, esquive en passant devant son partenaire pour exécuter* ***o goshi****.*

3 *Sa main droite reste placée dans le haut du dos de Uke. En fléchissant ses jambes, Tori charge Uke autour de sa hanche. Uke va basculer sur l'avant autour de la hanche de Tori.*

Il existe, là aussi, la possibilité d'un enchaînement au sol s'il n'y a pas eu ippon.

Pour plus tard

• Les contres

Certaines techniques se font à partir d'une attaque de l'autre :
on profite de l'élan de l'attaque. Toutefois, une certaine force
physique s'impose, et tu ne pourras les pratiquer qu'à partir
de minimes.

Sur une attaque de haraï goshi, Tori va ceinturer Uke en fléchissant ses jambes. Dans un 2ᵉ temps,
Tori soulève Uke et le projette en le basculant sur l'arrière. C'est **ushiro goshi**.

Sur une attaque de ippon seoï nage, Tori bloque en saisissant une jambe du partenaire.
Puis il le soulève et le fait basculer sur l'avant : **te guruma**.

Les sutemi ou techniques de sacrifice

En effet si Tori « rate » sa technique, il se trouvera en position désavantageuse.

Dans **tomoe nage**, Tori va soudain s'abaisser au sol pour placer son pied sur la ceinture de Uke ; ce dernier est déséquilibré sur l'avant et poussé par le pied de Tori. Il va partir en chute avant par-dessus Tori.

Les clés de bras et les étranglements

Là aussi, ce sont des techniques qui réclament une maîtrise physique et une maturité affirmée car il ne faut pas blesser le partenaire. Tu ne seras autorisé à les pratiquer qu'en cadets.

Ude ishigi juji gatame : le bras de Uke est maintenu tendu entre les jambes de Tori qui exerce une action de levier sur l'articulation du coude.

Kata ha jime : Tori a saisi un revers du col de Uke et a glissé son autre main sous le bras opposé. En rapprochant ses deux mains derrière la nuque de Uke, Tori resserre l'étau, provoquant une strangulation.

Pour signifier son incapacité à se dégager, Uke frappera deux fois sur le tatami ou sur lui-même, et Tori desserrera son étreinte.

Les règles d'arbitrage

*P*our commencer à pratiquer ton sport
en animation sportive, tu dois connaître
un minimum de règles d'arbitrage :
comment remporter la victoire,
comment éviter les sanctions.

Comment gagner un combat ?

Quand tu vas t'initier à l'animation sportive, tu chercheras à mettre en pratique tout ce que tu as appris au dojo. Tu voudras bien sûr remporter la victoire et, pour cela, il te faut avoir quelques notions d'arbitrage.

◀ Le ippon

C'est la technique parfaite, l'adversaire est projeté sur le dos avec force et vitesse : cela compte 10 points.

Le yuko

L'adversaire se réceptionne sur le côté du corps ; cela vaut 5 points et les différents yuko obtenus ne s'additionnent pas. ▶

◀ Le waza ari

Moins bien réalisée, ta technique ne te rapportera que 7 points, mais 2 waza ari dans un même combat égalent ippon.

Le koka

C'est le plus petit avantage, il vaut 3 points : l'adversaire chute à plat ventre ou assis. ▶

◀ La tenue d'immobilisation

On peut aussi marquer les mêmes avantages au sol, selon la durée de l'osae komi.

> C'est celui des deux adversaires qui obtiendra l'avantage le plus fort qui remportera la victoire à l'issue du temps réglementaire.

Les actes défendus

Pour le bon déroulement du combat, tu devras veiller à respecter certaines règles. Bien sûr, cela restera éducatif, et l'arbitre t'adressera un avertissement. Mais il existe aussi des sanctions.

Ce que tu ne dois pas faire !

geste de la moulinette

- Manque de combativité, rester dans l'attente. ▶

▲
- Serrer le cou dans l'exécution de techniques debout ou au sol.

- Porter les mains ou les pieds au visage de l'adversaire. ▶

- Manquer de respect à l'adversaire ou aux arbitres.

- Exercer un geste, une action risquant de blesser l'adversaire.

Les sanctions

Si l'arbitre est amené à infliger des sanctions, il te faut en connaître l'échelle.

- Shido : faute légère.
- Chui : blâme.
- Keikoku : faute grave.

Les sanctions ne peuvent être données qu'une fois : en cas de récidive, on passe à la sanction supérieure.

Geste de l'arbitre pour les sanctions.

Geste de l'arbitre pour hansoku make (disqualification).

4

L'initiation

𝒫our les 4-5 ans, avant d'entrer
dans l'apprentissage systématique
du judo, on peut débuter par une approche
ludique : le baby judo.

41

Le judo des tout-petits

Le baby judo a pour objectif de familiariser les tout-petits avec l'environnement du judo. D'abord un peu intrigués et intimidés par les lieux, dojo et tatami, par leur accoutrement, le judogi, ils se sentiront rapidement à l'aise et heureux lors des séances qui les amèneront, toujours en douceur, à développer leur motricité.

L'esprit

L'enfant de 4-5 ans va découvrir en s'amusant les composantes du judo (tirer, pousser, ramper, rouler...). Très vite, il va acquérir une aisance du corps dans les déplacements, il aura vaincu l'appréhension de chuter et aura accepté le principe des saisies. Le respect de la consigne et des toutes premières règles sera intégré.

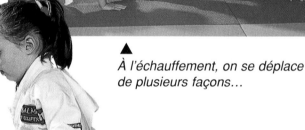

▲ À l'échauffement, on se déplace de plusieurs façons...

◄ ... et on imite les animaux : en canard, en rampant comme le serpent...

Les moyens

Les enfants sont en judogi mais le professeur va utiliser des accessoires (cerceau, foulard, ballons...). Et surtout il usera d'ingéniosité pour faire appel à l'imaginaire des petits.

La démarche

La place de l'échauffement garde la même importance, même si certains exercices sont présentés sous forme de jeu. L'apport technique se résumera à 3 immobilisations permettant aux enfants de petits randori.

La place des jeux est prépondérante, ils seront nombreux et variés : jeux duels, jeux collectifs, au sol ou debout.

▲ **Sumo** : il faut sortir l'autre du cercle.

▲
Jeu des maisons : on se promène et, au signal, chacun va dans une maison, mais il en manque toujours une.

Nom du jeu	Composante du judo
Jeu de l'épervier	agripper
Sumo (au sol, debout)	tirer/pousser
Jeu des pêcheurs	déplacement, rapidité
Jeu du fourmilier	maintenir au sol
La queue du diable	vivacité et jeu duel
Jeu des maisons	rapidité, observation

▲
La queue du diable : chaque diablotin doit conserver sa queue et peut s'emparer de celle des autres pour les transformer en statue.

Le jeu du fourmilier : ▶
le fourmilier est gourmand de fourmis, mais il doit les attraper et les maintenir au sol.

Avec la participation des judokas de BALMA SAINT-EXUPÉRY 31 :

Camille, Éléonore, Gauthier, Guillaume, Hugo, Ines, Jean-Philippe, Jérémy, José, Justine, Lisa, Malik, Marie, Mathieu, Mathilde, Medhi, Mickaël, Nina, Paul, Thomas, Tomy.

Remerciements au président du club M. Azalbert Joseph.

Crédit photo : toutes les photographies sont de Dominique Chauvet (Milan) ; sauf : page 8 (mg) et page 13 (hd) et (bd), Temps Sports.

Table des matières